¡Vaya lío de mañana!

SOPA DE LIBROS

© Del texto: Antonia Rodenas, 2019
© De las ilustraciones: Paula Alenda, 2019
© De esta edición: Grupo Anaya, S.A., 2019
Juan Ignacio Luca de Tena, 15. 28027 Madrid
www.anayainfantilyjuvenil.com
e-mail: anayainfantilyjuvenil@anaya.es

Diseño: Manuel Estrada

Primera edición, marzo 2019

ISBN: 978-84-698-4826-5
Depósito legal: M-39-2019

Impreso en España - Printed in Spain

Las normas ortográficas seguidas son las establecidas por
la Real Academia Española en la *Ortografía de la lengua española*,
publicada en el año 2010.

PAPEL DE FIBRA
CERTIFICADO

Antonia Rodenas

¡Vaya lío de mañana!

Ilustraciones de Paula Alenda

ANAYA

Asomada a mi ventana
veo un koala con pijama.
Una bruja entre burbujas.
A un hada despistada.

¡Vaya lío!
¡Tiene gracia!
Lo que veo por mi ventana.

Y veo un lobo medio bobo.
Un gorila color lila.

Una vaca en una hamaca.
Una osa quis

    qui

      llo

        sa.

¡Vaya lío!
¡Tiene gracia!
Lo que veo por mi ventana.

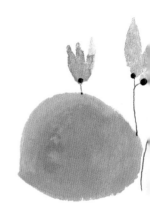

Y veo un pato en un zapato.
Un vampiro.
Un lagarto.
Una muñeca de trapo.

Una foca un poco loca.
Un cangrejo rojo y viejo.

¡Vaya lío!
¡Tiene gracia!
Lo que veo por mi ventana.

Y veo un pez...
con los ojos del revés.
Un flautista.
Una cebra trapecista.

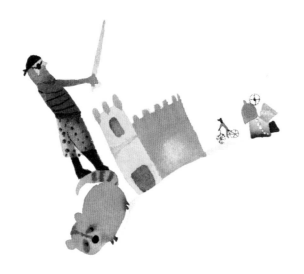

Un castillo.
Un pirata en calzoncillos.
Un mapache... y cachivaches.
Un atleta en bicicleta.

Y un ratón...
con bigotes de cartón.

¡Vaya lío!
¡Tiene gracia!
Lo que veo por mi ventana.

Y veo niños en el suelo,
en las sillas, sus abuelos.
Y unos globos de colores
suben alto…
                        casi al cielo.

Y aparecen los actores
con sonrisas y canciones.
Y entre ellos un cartel…
con tres letras dibujadas
a pincel…

¡Vaya lío de mañana!
Y ahora cierro mi ventana.